TIBURONES MARTILLOS

TIBURONES

Sarah Palmer
Versión en español de Lois Sands

The Rourke Corporation, Inc.
Vero Beach, Florida 32964

Library of Congress Cataloging-in-Publication Data
Palmer, Sarah. 1955 -
    (Hammerhead sharks. Spanish.)
    Tiburones martillos / by Sarah Palmer; versión en español de
Lois Sands.
    p. cm. — (Biblioteca de descubrimiento de tiburones)
    Traducción de: Hammerhead sharks.
    Incluye índice.
    Sumario: Describe la apariencia, el hábitat y el comportamiento
de las tres clases principales de tiburones martillos.
    ISBN 0-86593-201-8
    1. Tiburones martillos—literatura juvenil. [1. Tiburones martillos.
2. Tiburones. 3. Materiales en español.] I. Título. II. De la serie
de: Palmer, Sarah, 1955 -   Biblioteca de descubrimiento de
tiburones.
QL638.95.S7P3518 1992
597'.31—dc20   92-10423
                                              CIP
                                              AC

TABLA DE CONTENIDO

TIBURONES MARTILLOS

Hay cinco **especies** de tiburones martillos en los océanos que rodean los Estados Unidos. Los tres más comunes son el gran tiburón martillo, el tiburón con venera y el tiburón "de ojos pequeños." Todos los tiburones se ven muy raros o extraños. Sus cabezas son aplanadas y están en forma de martillo. Esta forma les dio su nombre.

Gran tiburón martillo

COMO SON

Los tiburones pueden variar de un tamaño promedio de 11 pies para la hembra del tiburón martillo, a 4 pies para el tiburón martillo con venera. El gran tiburón martillo y el tiburón martillo con venera, son de un color café-verdáceo, y el tiburón martillo, "de ojos pequeños," es gris. Todos tienen el dorso blanco. El más grande de los tiburones martillos que se conoce fue un gran tiburón martillo que midió más de 18 pies, 7 pulgadas.

Tiburón martillo "de ojos pequeños,"
gran tiburón martillo,
y tiburón martillo con venera

DONDE VIVEN

El tiburón martillo con venera, es el más común de las cinco especies y se encuentra por todo el mundo en aguas cálidas. El gran tiburón martillo vive sólo en **arrecifes** someros, aunque a veces se ven en aguas bastante profundas. El tiburón martillo "de ojos pequeños," se queda en el agua de la costa cerca de las orillas. También se han visto algunos de estos tiburones en ríos de agua fresca.

Grandes tiburones martillos viven en lagunas someras

LO QUE COMEN

Todos los tiburones martillos comen pescado huesudo, calamares, cangrejos y a veces tiburones más pequeños. La comida favorita de los grandes tiburones martillos es el pez raya. Los grandes tiburones martillos a menudo se encuentran con los estiletes de la cola de los peces rayas en y alrededor de sus bocas.

Uno tenía como cincuenta metidos en su boca. El tiburón martillo "de ojos pequeños," come los bebés del tiburón con venera.

Los tiburones martillos a veces comen los bebés de los tiburones con venera

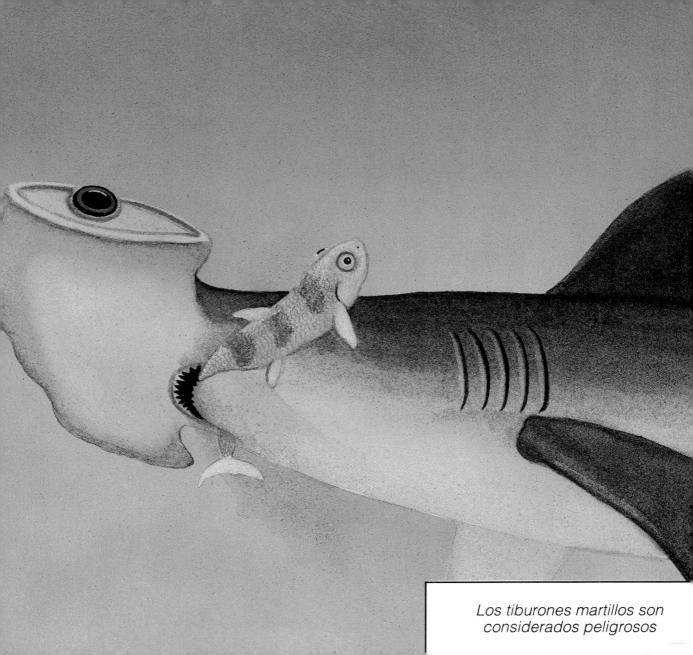

*Los tiburones martillos son
considerados peligrosos*

Los grandes tiburones martillos son de un color verdáceo

SUS OJOS

Los ojos de los tiburones martillos están localizados en cada lado de sus cabezas. De la parte de abajo del ojo, el párpado se desliza hacia arriba para cubrir el globo sensitivo del ojo. Cuando los tiburones muerden a su **presa,** sus ojos se cierran para protegerlos. Los científicos pensaban que los tiburones tenían vista mala. Ahora saben que los tiburones pueden ver bastante bien hasta en luz tenue.

Este cuadro muestra la posición de los ojos y los fosas nasales del tiburón martillo

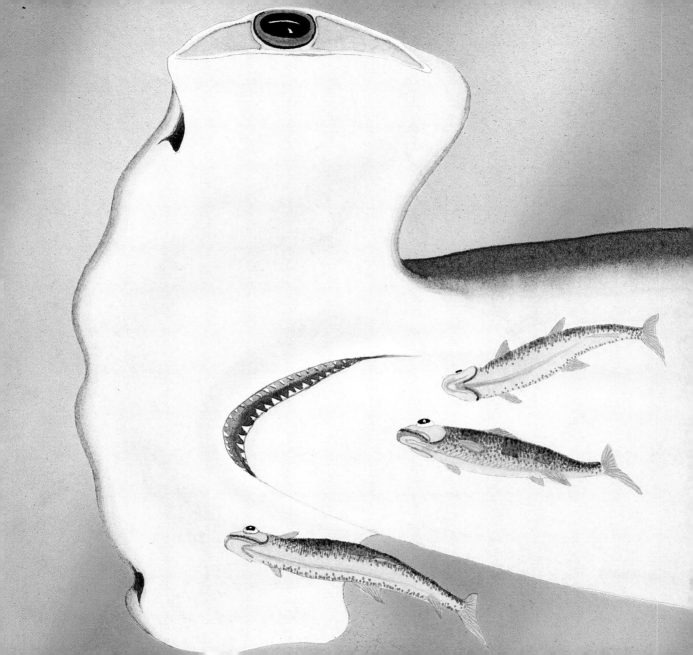

SUS SENTIDOS

Las fosas nasales del tiburón martillo están colocadas cerca de sus ojos, con una separación grande en cada lado de sus cabezas en forma de martillo. Al respirar, el tiburón toma agua por sus **agallas** y sus fosas nasales. En la misma manera que los seres humanos huelen olores en el aire, los tiburones huelen olores en el agua.

Los tiburones martillos mueven sus cabezas de un lado a otro mientras nadan. Los científicos piensan que este movimiento los ayuda a recoger olores porque cubren un área más grande.

Los tiburones martillos mueven su cabeza de un lado a otro al nadar

¡ATAQUE DE TIBURON!

La mayoría de los tiburones martillos son considerados peligrosos. Cuando los seres humanos necesitan ayuda y son presa fácil, los tiburones martillos son los primeros en llegar. Los tiburones martillos llegan al lugar de una tragedia en grupos grandes, o **cardúmenes.** Se dice que los grandes tiburones martillos comen a los seres humanos. Se ha culpado a los tiburones con venera por algunos de los ataques contra los seres humanos, pero los científicos los han encontrado inofensivos en cautiverio.

Un cardúmen de tiburones martillos llega al lugar de un naufragio

COMO PREVENIR UN ATAQUE DE TIBURON

En muchas de las playas de los Estados Unidos, hay redes colocadas para atrapar a los tiburones que llegan demasiado cerca de la orilla. Las redes son colocadas en agua bastante profunda paralelas a la orilla. Si un tiburón nada adentro de la red, se enreda en ella y se muere. Esta es una buena manera de proteger a los nadadores, pero no es buena idea para el resto de la vida marina. A veces, los delfines y las focas indefensas se atrapan en la red y se mueren.

Los tiburones martillos se pueden atrapar en las redes

CATALOGO DE DATOS

Nombre común: Gran tiburón martillo

Nombre científico: Sphyra mokarran

Color: Café verdaceo

Tamaño promedio: Macho: 9 pies, 4 pulgadas

                        Hembra: 12 pies

Dónde viven: Aguas someras alrededor de
                        los arrecifes

Nivel de peligro: Tiburón peligroso

Glosario

agallas — las partes del cuerpo de un pez que sacan oxígeno del agua para poder respirar

arrecife — banco de rocas cerca de la superficie del océano

cardumen — multitud de peces que van juntos

especie — un grupo o clase de animales

presa — un animal que es comido por otro

INDICE